arc-en-ciel
cascade

ISBN 978-2-7002-3064-2 • ISSN 1142-8252

© RAGEOT-ÉDITEUR – Paris, 2005.
Tous droits de reproduction, de traduction et d'adaptation réservés pour tous pays.
Loi n° 49-956 du 16-07-1949 sur les publications destinées à la jeunesse.

Texte de Pakita
Images de J.-P. Chabot

Yann et l'école de rêve

RAGEOT • ÉDITEUR

Vous connaissez Yann ?
C'est le **remplaçant** de notre maîtresse, madame Parmentier.

Mais attention, la maîtresse n'est pas malade !

Elle attend juste un bébé.

Tous les jours, son **ventre grossissait, grossissait...** À la fin, on avait peur qu'elle explose ! Puis, il y a un mois, elle est partie pour avoir son bébé.

Le lendemain, le directeur, monsieur Lecornu, est arrivé avec le **remplaçant.**

– Les enfants, je vous présente votre nouveau maître, monsieur Ricochet.

– Comme les **ricochets,** a ajouté le maître en souriant. Qui sait en faire ?

– Moi ! a crié Zoé. J'en fais dans la rivière avec mon papa.

On est montés en classe et monsieur Ricochet nous a dit :

– Je m'appelle Yann. Je préfère que vous m'appeliez par mon prénom plutôt que maître ! Mais… je vous laisse choisir. Je suis très heureux que vous soyez mes nouveaux élèves.

Et on s'est tout de suite remis au travail !

Depuis un mois, avec Yann, on écrit des lettres à madame Parmentier. Elle nous répond à chaque fois ! Et ce matin, on a reçu un **faire-part de naissance.**

Alphonse

est né le 3 mars

à 10 heures.

Il a hâte de vous connaître.

– Il est né juste à l'heure de la récré, a crié Tom. Il va trop aimer jouer !

On a éclaté de rire, Yann aussi.

Puis Louise a dit :

– Quand un **bébé** naît, il faut lui offrir un cadeau !

– Tu as raison Louise, a répondu Yann. Qui a une idée ?

– Une **peluche** ! a suggéré Nicolas qui vient d'avoir une petite sœur.

– Oh non ! On n'a qu'à lui offrir un vrai animal. Un **petit cochon** par exemple, a proposé Chloé.

Et là, je ne sais pas comment c'est arrivé dans ma tête, mais soudain j'ai crié :

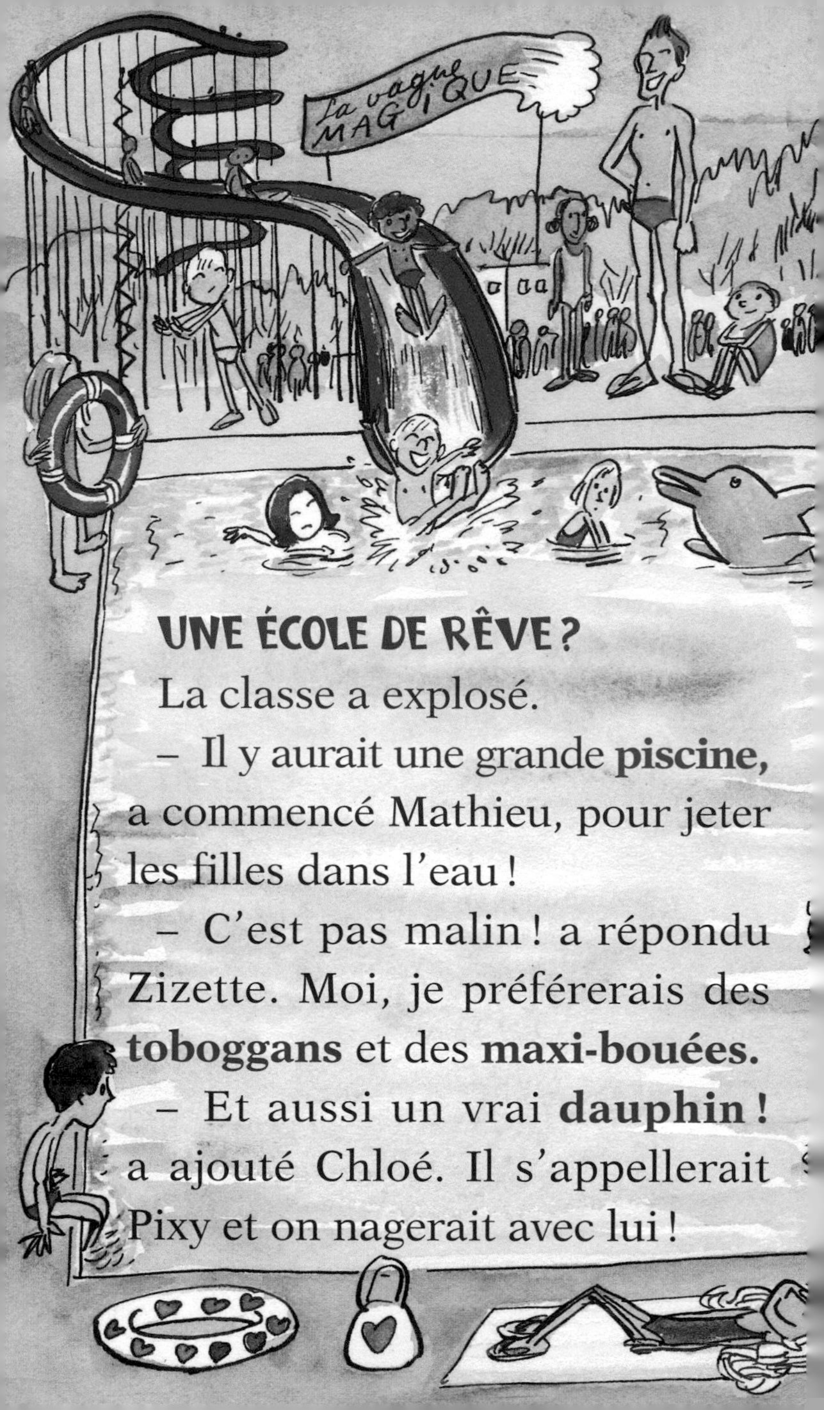

UNE ÉCOLE DE RÊVE ?

La classe a explosé.

– Il y aurait une grande **piscine,** a commencé Mathieu, pour jeter les filles dans l'eau !

– C'est pas malin ! a répondu Zizette. Moi, je préférerais des **toboggans** et des **maxi-bouées.**

– Et aussi un vrai **dauphin !** a ajouté Chloé. Il s'appellerait Pixy et on nagerait avec lui !

– Moi, je voudrais des arbres à **bonbons** et des forêts de **sucettes** qu'on pourrait cueillir et manger pendant la récré ! a dit Magali.

– Et on demanderait à mon papa de nous fabriquer une super maison en gâteaux comme dans Hansel et Gretel ! a proposé Mathieu, tout excité.

– Avec une horrible sorcière qui nous ferait peur ! a mimé Audrey.

– Moi, mon rêve, ce serait une école qui ne ressemblerait pas à une école, a continué Alice. Par exemple, une école en forme d'énorme **champignon** !

– Ou d'**arbre géant** ! a proposé Félix.

– Ou en forme de **fusée** ! a répliqué Léonard l'inventeur, pour aller dans la lune !

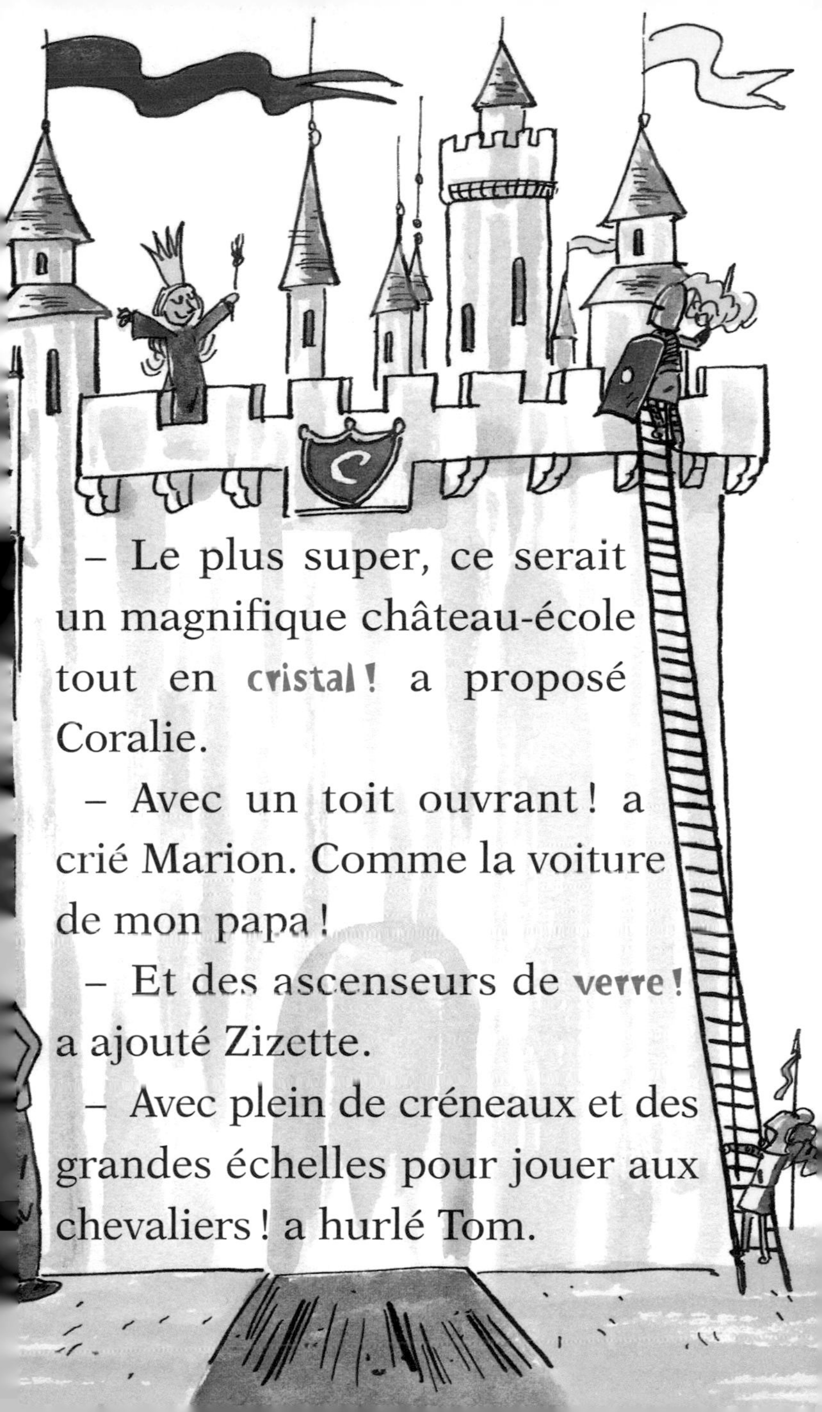

– Le plus super, ce serait un magnifique château-école tout en **cristal** ! a proposé Coralie.

– Avec un toit ouvrant ! a crié Marion. Comme la voiture de mon papa !

– Et des ascenseurs de **verre** ! a ajouté Zizette.

– Avec plein de créneaux et des grandes échelles pour jouer aux chevaliers ! a hurlé Tom.

– Les classes seraient peintes en argenté ou en doré, j'ai ajouté. On aurait des fauteuils qui se transformeraient en lit avec une **télécommande**. Comme ça, on pourrait écouter les leçons de la maîtresse allongés.

– Et madame Parmentier aurait exactement le même fauteuil que nous pour attendre ses prochains **bébés**, a proposé Aziz.

– Et il y aurait des **télés** partout ! a hurlé Clara.

– Et on apprendrait tout avec des **dessins animés** ! a continué Alexandre. Imaginez madame Parmentier en maîtresse manga !

On a éclaté de rire.

– En plus, on aurait chacun un **ordinateur** et un **mini-frigo** avec des boissons qui piquent ! s'est exclamé Théo.

– J'ai une idée trop géniale ! a crié Marie. On déménagerait le **poney-club** de mes parents dans l'école, et on ferait des **balades à cheval** ensemble !

– On déménagerait aussi la ferme de mon père, a ajouté Lucas, comme ça on aurait les **œufs des poules** et le **lait des vaches** pour faire des crêpes !

– J'apporterais mon **crocodile** pour faire un **zoo** ! a rigolé Théo.

– Notre nouvelle école serait tellement belle que j'habiterais dedans ! a déclaré Emma.

– On s'installerait dans des **caravanes,** a dit Tom, à côté du manège à chevaux.

– Et avec mes parents, on vivrait dans les **arbres** ! a hurlé Félix.

– Je vois que votre imagination se porte bien ! a dit Yann en riant. Mais si vous voulez que le **bébé** de madame Parmentier aille plus tard dans une vraie **école de rêve,** il serait préférable de trouver des idées qui peuvent se réaliser. Comme ça, Alphonse sera plus tard et grâce à vous un élève très heureux ! Qu'en pensez-vous ?

– D'accord ! on a crié.

– Bon, nous allons commencer par dessiner un plan de l'école telle qu'elle existe aujourd'hui, a proposé Yann. Nous déciderons ensuite ce qu'on peut y changer.

– On pourrait faire le **plan de la classe** aussi, a suggéré Tom, et la transformer ?

– C'est une excellente idée ! lui a répondu Yann.

On est partis avec Yann explorer notre vraie école. En premier, on est allés dans la **cour.**

– Avez-vous des idées pour rendre cette **cour** plus belle ? nous a demandé Yann.

– On pourrait remplacer le goudron du sol par de **l'herbe,** a proposé Emma.

– Et planter des **noisetiers** ! a dit Guillaume, pour manger les **noisettes...**

– Et des **saules pleureurs** pour se cacher dessous, j'ai dit.

– Et construire des **cabanes** pour jouer dedans ! s'est écrié Félix.

– Et un bateau de **pirates** pour jouer... aux **pirates** ! a continué Thomas.

– Il faut deux **buts de foot** et deux **paniers de basket** pour faire des vrais matchs ! a déclaré Mathieu.

Puis, avec Yann, on s'est dirigés vers le **préau.** Et là, voilà ce qu'on a décidé :

Dans une partie du **préau,** on voudrait une scène, des rideaux rouges et des projecteurs pour faire des **pièces de théâtre** ou du **cirque.** Et, dans une autre partie, des tapis de gym pour faire des **galipettes** et des cordes pour... **grimper à la corde !**

Dans un coin, on ferait un **bar.** Comme boissons, il y aurait des sirops à l'eau et à bulles.

– Et des jeux de société ! a ajouté Guillaume.

Bien sûr, on aurait le droit d'aller dans le **préau** tout le temps et pas seulement quand il pleut !

Quand on est rentrés en classe, on a trouvé encore plein d'idées !

On pourrait mettre les tables en rond autour du tableau. On installerait un **coin bibliothèque** confortable avec des banquettes, et puis un **atelier peinture** avec des chevalets pour faire peintres professionnels !

On aimerait aussi avoir une télévision et un magnétoscope rien qu'à nous !

Oh là là ! Il est tard, mais je suis trop **énervée !** Demain, la maîtresse vient nous voir avec Alphonse.

Je suis un peu inquiète ! Alphonse ne sait pas lire, il ne comprendra rien à notre cadeau d'**école de rêve !** Heureusement qu'on a fait des dessins !

Allez, bonne nuit !

Vous aussi, vous avez une **école de rêve ?**

Achevé d'imprimer en France en novembre 2007
par I. M. E. - 25110 Baume-les-Dames
Dépôt légal : janvier 2008
N° d'édition : 4649 - 03